Der kleine Herr Jakob

Maître Jacot • Il tenero Giacomo • Sir James • Don Diego • Mijn vriendje Dorus

Hans Jürgen Press

Kopierrecht

Breitwiesenstrasse 9
CH-8207 Schaffhausen
service@schubi.com
www.schubi.com

16. Auflage 2025

ISBN 978-3-03976-291-0

D Der kleine Herr Jakob

Die 10 beliebtesten Bildfolgen der SCHUBI-Geschichtenkiste

Der kleine Herr Jakob

als Kopiervorlagen

Jedem Kind seine eigene Bildergeschichte
- zum Ausmalen und Aufkleben
- für die Heftgestaltung
- zum Illustrieren von Aufsätzen

Die Bildfolgen dienen auch als Arbeitsmaterial für die Arbeit in größeren Gruppen oder mit der ganzen Klasse – alle haben gleichzeitig dieselbe Bildergeschichte vor sich.

Die Bilder können in beliebiger Größe kopiert werden, z.B. klein zum Einkleben ins Heft oder riesengroß zum Herstellen von Wandbildern.

Les 10 séries préférées de la boîte à histoires SCHUBI

Maître Jacot

sur feuilles à copier

A chaque enfant sa propre histoire dessinée
- à colorier et coller
- pour la présentation des cahiers
- pour illustrer les rédactions

Ces séries en images servent de matériel pour les activités dans de plus grands groupes ou avec toute la classe; tous les élèves voient en même temps la même image.

Les images peuvent être copiées dans la grandeur désirée, par exemple petites pour les coller dans les cahiers ou géantes pour en faire des tableaux muraux.

I Il tenero Giacomo

Ecco le 10 serie illustrate preferite dalla scatola delle storie di SCHUBI

Il tenero Giacomo

su fogli per fotocopiare

Ogni bambino avrà il suo racconto illustrato

- da colorare e incollare
- per decorare il quaderno
- per illustrare i componimenti

Queste serie d'illustrazioni possono servire anche come materiale di lavoro per gruppi più numerosi o per una classe intera, così tutti avranno davanti lo stesso racconto illustrato.

Le illustrazioni si possono copiare nella grandezza preferita, per esempio piccole per incollarle nel quaderno oppure grandissime per farne dei manifesti da appendere alla parete.

GB

Sir James

The 10 favorite picture sequences from the SCHUBI treasure chest of picture stories

Sir James

as worksheets to duplicate

Each child has its own pictures

- to colour and stick on
- for making a notebook
- to illustrate stories

The picture sequences serve also as work material for the work in larger groups or with the whole class – all the children have the same picture sequence in front of them at the same time.

The pictures can be copied in any size, for example: small ones to glue in a notebook or very large for making wall pictures.

Las 10 series de ilustraciones preferidas de la caja de historias SCHUBI

Don Diego

en hojas para copiar

Cada niño con su propia serie de ilustraciones
- para colorear y pegar
- para decorar el cuaderno
- para ilustrar redacciones

Las series sirven también como material para de trabajo en grupos con mayor número de participantes o con toda la clase – todos tienen siempre ante sí la misma serie de imágenes.

Las imágenes pueden copiarse en todos los tamaños, por ejemplo, pequeñas para pegar en el cuaderno o muy grandes para hacer cuadros para la pared.

NL Mijn vriendje Dorus

De tien populairste stripverhalen uit de SCHUBI verhalendoos

Mijn vriendje Dorus

als Kopieerbladen

Ieder kind maakt zijn eigen stripverhaal
- om te kleuren en in te plakken
- om werkboekjes op te fleuren
- om opstellen mee te illustreren

De stripverhaaltjes kunnen ook als werkmateriaal worden gebruikt met de gehele klas of in groepen – alle leerlingen hebben tegelijkertijd dezelfde plaatjes voor zich.

De plaatjes kunnen in elke gewenste afmeting gekopieërd worden, b.v. op een klein formaat om in schriften te plakken of op posterformaat om aan de muren in de klas te hangen.

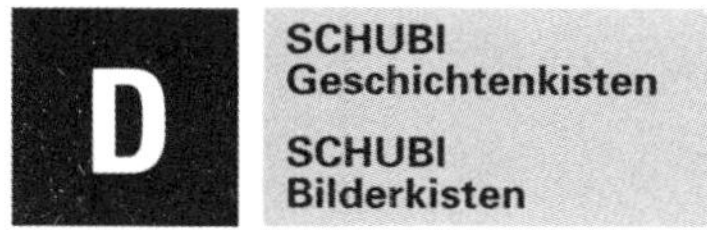

SCHUBI Geschichtenkisten

SCHUBI Bilderkisten

	Bestell-Nr.
Und dann ...?	120 10
Und dann ...? 2	120 20
Papa Moll 2000	120 50
Lea, Lars & Dodo	120 58
Der kleine Herr Jakob	120 16
Erzähl mal!	120 18
Bildreportagen aus Natur und Technik	120 26
Was kommt dazu? 1	120 22
Was kommt dazu? 2	120 24
VOCABULAR	120 32

Boîtes à histoires SCHUBI

Boîtes aux images SCHUBI

	Numéro de commande
Et puis ...?	120 10
Et puis ...? 2	120 20
Papa Moll 2000	120 50
Lea, Lars & Dodo	120 58
Maître Jacot	120 16
Raconte!	120 18
Reportages en images sur la nature et la technique	120 26
Cherche la différence 1	120 22
Cherche la différence 2	120 24
VOCABULAR	120 32

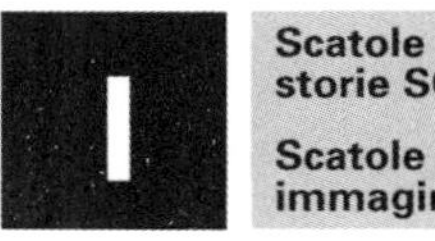

Scatole delle storie SCHUBI

Scatole delle immagini SCHUBI

	Numero d'ordine
E poi ...?	120 10
E poi ...? 2	120 20
Papà Moll 2000	120 50
Lea, Lars & Dodo	120 58
Il tenero Giacomo	120 16
Racconta!	120 18
Reportage in immagini sulla natura e sulla tecnica	120 26
Trova la differenza 1	120 22
Trova la differenza 2	120 24
VOCABULAR	120 32

SCHUBI Treasure chests of picture stories

SCHUBI Treasure chests of pictures

	Order No.
And then ...?	120 10
And then ...? 2	120 20
Papa Moll 2000	120 50
Lea, Lars & Dodo	120 58
Sir James	120 16
Tell about it!	120 18
Picture reports from nature and industry	120 26
What's the difference? 1	120 22
What's the difference? 2	120 24
VOCABULAR	120 32

Cajas de historias SCHUBI

Cajas de imágenes SCHUBI

	Nº de pedido
¿Y después ...?	120 10
¿Y después ...? 2	120 20
Papá Moll 2000	120 50
Lea, Lars & Dodo	120 58
Don Diego	120 16
¡Cuéntame!	120 18
Reportages gráficos de la naturaleza y la técnica	120 26
¿Cuál es la diferencia? 1	120 22
¿Cuál es la diferencia? 2	120 24
VOCABULAR	120 32

SCHUBI Verhalendosen

SCHUBI Prentenboxen

	bestelnr.
En dan ...?	120 10
En dan ...? 2	120 20
Papa Moll 2000	120 50
Lea, Lars & Dodo	120 58
Mijn vriendje Dorus	120 16
Vertel het maar	120 18
Beeldverhalen uit natuur en techniek	120 26
Vind het verschil 1	120 22
Vind het verschil 2	120 24
VOCABULAR	120 32

D Der Mai ist gekommen

F Le beau mois de mai

I E arrivata la primavera

GB Spring is here

E La primavera ha venido

NL Het is de maand mei

EXPRESS

D Herz mit Biss

F Un cœur entamé

I Un morso al cuore

GB A bitten heart

E Corazón con mordisco

NL Een hart met een hap eruit

D Ein Geizhals

F L'avare

I Un avaraccio

GB A miserly neighbour

E La avaricia rompe el saco

NL Een gierigaard

D Kaninchenfutter?

F Mais où est passé le foin?

I Cibo per i conigli?

GB Food for rabbits?

E ¿Hierba para los conejos?

NL Konijnenvoer?

D Achtung, Glatteis!

F Gare au verglas!

I Attenzione, strada ghiacciata!

GB Watch out! Ice!

E ¡Cuidado, resbala!

NL Pas op, ’t is glad!

HATSCHI

D Kartenglück - Kartenpech

F Château de cartes

I Fortuna e sfortuna nelle carte

GB Good and bad luck with cards

E Castillo de naipes

NL Geluk en pech met kaarten

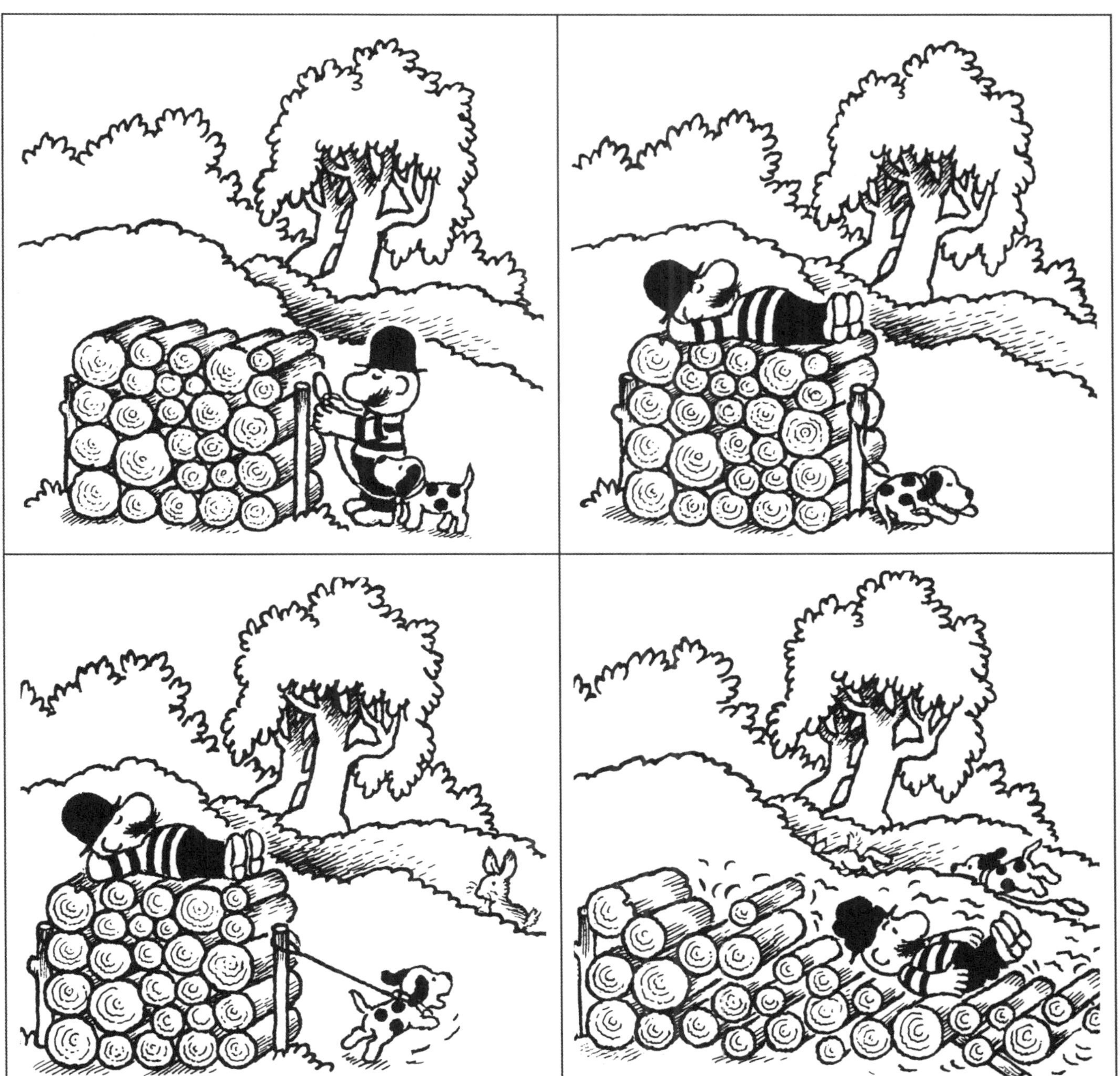

D Böses Erwachen

F Un réveil brusque

I Un brutto risveglio

GB A bad awakening

E La siesta interrumpida

NL Vervelend wakker worden

D Fotosafari

F La chasse aux images

I Safari fotografico

GB A photo safari

E Safari fotográfico

NL Op foto-safari

D Der Bumerang

F Le boumerang

I Il bumerang

GB The boomerang

E El bumerán

NL De boemerang

D Fehlstart

F Faux départ

I Falsa partenza

GB A wet start

E Un pequeño deliz

NL Een verkeerd begin